Comment Reconnaître un Monstre

Cómo reconocer a un monstruo
Auteur et illustrateur : Gustave Roldán
Traduction texte : I.T.C. TRADUCTIONS
Mise en page texte : Élodie Lhomme
Directrice artistique : Adeline Ruel

Conforme à la loi n°49.956 du 16 juillet 1949 sur les publications destinées à la jeunesse.
ISBN : 978-2-35366-156-5
Dépôt légal : mai 2012

Les Éditions Éveil et Découvertes
34, Quai Saint-Cosme - 71100 Chalon-sur-Saône
www.eveiletdecouvertes.fr

Édition originale *Cómo reconocer a un monstruo* © 2010 Thule éditions, Barcelone, Espagne. thule
www.thuleediciones.com
Les droits de ce livre ont été négociés par l'intermédiaire de l'Agence Littéraire Sea of Stories,
www.seaofstories.com, Sidonie@seaofstories.com.

Gustave Roldán

Comment Reconnaître un Monstre

Tu es face
à quelque chose
de **bizarre** ?

Comment savoir si c'est
vraiment un monstre ?

Si ses pattes
sont énormes
et poilues...

Si
ses pattes
sont si
nombreuses
qu'elles
ressemblent
à
une forêt...

Si son
ventre forme
une sorte
de toit
au-dessus
de ta
tête...

Si sa queue
se déroule sur
des kilomètres...

S'il a des écailles
aussi dures que
les marches d'un
escalier...

Si de ses oreilles
sortent de longs
poils...

Si sous
ses sourcils
se cachent
des yeux jaunes...

Si
son nez
ressemble à
une énorme
aubergine rouge...

Et, surtout,
S'il a une bouche noire
et pleine de dents pointues...

Alors, il n'y a pas
l'ombre d'un doute...

C'est bien
un
monstre !